前　言

　　中国有很多古老美丽的故事和传说，这些故事都充满了纯真的思想和深邃的人文气息，因此便构成了中华民族的精神象征之一，这些故事更巩固了中国人的同源意识。

　　在这套"幼学启蒙丛书"中，内容涵盖了大家所熟悉的民俗故事、神话故事、节日故事、名胜传说与古代名医、贤哲、名相、名将、帝王、智童、科学家、智谋、诗书故事等等，总计十辑（八十分册）。为了让孩子们了解祖先们活动的广阔天地和历代的政治变迁、科学发展与文学艺术上的成就，我们运用最精炼的文字与生动的插画，将其一一呈现给中国儿童，并使得这些久远的历史人物，轻松地进入儿童的思想领域，与他们的血脉相连接。

　　身为中国人，对中华民族的认知，就好像一个做儿女的，应该了解他的大家庭一样，如此他才会对这个家庭有感情、有责任。我们希望这套书的出版，能够引导孩子在人生记忆力最好的时候，去了解祖国历史的脉络、认同中华民族的生活轨迹与精神内涵，从而拥有高瞻远瞩的智慧，成为一个心胸开阔、人格健全的人。

　　"幼学启蒙丛书"，是为中国儿童编辑的，为这一套丛书撰稿和绘图的儿童文学工作者，都以传统文学和艺术观点来诠释中国古老的神话、传说和历史，我们希望这套丛书能为每一个中国家庭，每一个中国儿童所喜爱。

赵镇琬

古书上的故事……

　　在象耳山下，世传李太白读书山中，未成
弃去，过是溪，逢老媪方磨铁杵，问之，曰：
"欲作针。"太白感其意还，卒业。

宋祝穆《方舆胜览·眉州·磨针溪》

铁杵磨成针

衣若◇文　窦培高◇图　赵镇琬◇主编

新世界出版社
NEW WORLD PRESS

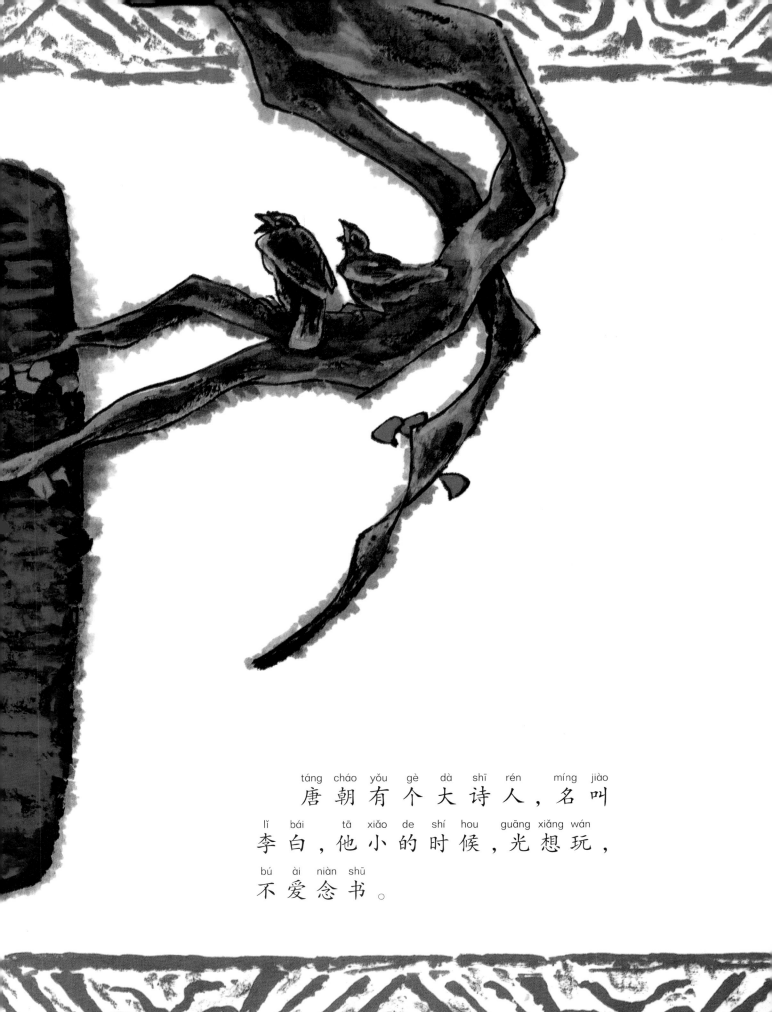

táng cháo yǒu gè dà shī rén míng jiào
唐朝有个大诗人，名叫
lǐ bái tā xiǎo de shí hou guāng xiǎng wán
李白，他小的时候，光想玩，
bú ài niàn shū
不爱念书。

yǒu yí cì tā táo
有一次，他逃
xué pǎo dào jiāo wài qù wán
学跑到郊外去玩，
kàn jiàn yí gè lǎo pó po
看见一个老婆婆
zài mó yì gēn tiě chǔ
在磨一根铁杵。

李白觉得很奇怪，就问老婆婆："你在干什么呀？"老婆婆说："我要把这根铁杵磨成绣花针呢！"

李白听了很惊讶："杵这么粗，什么时候才能磨成绣花针呀？"

老婆婆笑着说：“孩子呀，只要功夫深，铁杵也能磨成针！铁杵虽然粗，我只要天天磨，就一定会磨成绣花针的，你说对吗？”

李白想：老婆婆说的对。只要下功夫去做，什么事都可以做成功。

念书也是这样，只要用心学习，怎能学不会呢？

李白明白了这个道理，从
此，天天用心读书。后来，他
成了流芳千古的大诗人。

篇 后 语

大诗人李白当年也是贪玩的孩子，原来一颗活泼的心灵只有在必要时才会认真学习，随后从中找到无穷的乐趣。诗人的天性，本来就倾心于生活的多姿多彩。于是李白逃学并且跑到郊外，似乎是在寻找什么。启发这样的充满好奇心的孩子，磨铁杵的老婆婆要比严厉的教书先生更加合适。

人们往往因为好奇，才肯用心。一个坚忍的榜样，从此活在诗人的心里。在紧张严肃的课堂上，诗人本能地抵抗外来的压力；可是在幽静的郊外他却变成了听话的孩子——荒野中的人性并不"野"，野性是拘束造成的。寂寞带来好奇心，孤独带来同情心，而枯燥的教训怎么比得上生动的榜样？

李白有悟性，诗人生来精力充沛，对于他，正确的榜样不仅是合理的同义词，还是发展的同义词。诗人内心充满了生命力的冲动，出于释放内部能量的需要，他喜爱游戏。但是，李白通过磨铁杵的故事，明白了如何忍受寂寞，保持人生的动态平衡。一个温和而新鲜的启示，就这样开阔了他的心胸，引导诗意穿越荒漠而走向了希望。诗人的内心世界，从此充满了力量。

接受别人的影响，像磨铁杵那样琢磨自己，人格便会如同美玉。李白成功了，因为他学会对自己负责任，懂得读书不仅是学生的使命，它还符合自身发展的需要——也许我们并非诗人，却同样要为自己负责任的！

章亚昕（山东大学文学与新闻传播学院教授）

画家介绍：

窦培高，画家。山东陵县人，1943 年生。曾任济南军区话剧团舞美设计，现为专职画家。中国美术家协会会员。

1		2
3	4	5
6		7

■ 换一种方式看，有没有新发现？

我觉得这个故事……